ETUDE SUR
LA NATURE DU CH

ALLAN KARDEC

1927

Books On Demand

Édition : BoD – Books on Demand,
12/14 rond-point des Champs-Élysées, 75008 Paris
Impression : BoD - Books on Demand, Norderstedt, Allemagne
ISBN : 9782322224289
Dépôt légal : mai 2020

I
SOURCE DES PREUVES
DE LA NATURE DU CHRIST.

La question de la nature du Christ a été débattue dès les premiers siècles du christianisme, et l'on peut dire qu'elle n'est pas encore résolue, puisqu'elle est encore discutée de nos jours. C'est la divergence d'opinion sur ce point qui a donné naissance à la plupart des sectes qui ont divisé l'Église depuis dix-huit siècles, et il est remarquable que tous les chefs de ces sectes ont été des évêques ou des membres du clergé à divers titres. C'étaient, par conséquent, des hommes éclairés, la plupart écrivains de talent, nourris dans la science théologique, qui ne trouvaient pas concluantes les raisons invoquées en faveur du dogme de la divinité du Christ ; cependant, alors comme aujourd'hui, les opinions se sont formées sur des abstractions plus que sur des faits, on a surtout cherché ce que le dogme pouvait avoir de plausible ou d'irrationnel, et l'on a généralement négligé, de part et d'autre, de faire ressortir les faits qui pouvaient jeter sur la question une lumière décisive.

Mais où trouver ces faits si ce n'est dans les actes et les paroles de Jésus ?

Jésus n'ayant rien écrit, ses seuls historiens sont les apôtres qui, eux non plus, n'ont rien écrit de son vivant ; aucun historien profane contemporain n'ayant parlé de lui, il n'existe sur sa vie et sa doctrine aucun document autre que les Evangiles ; c'est donc là seulement qu'il faut chercher la clef du problème. Tous les écrits postérieurs, sans en excepter ceux de saint Paul, ne sont et ne peuvent être que des commentaires ou des appréciations, reflets d'opinions personnelles souvent contradictoires, qui ne sauraient, dans aucun cas, avoir l'autorité du récit de ceux qui avaient reçu les instructions directes du Maître.

Sur cette question comme sur celle de tous les dogmes en général, l'accord des Pères de l'Eglise et autres écrivains sacrés ne saurait être invoqué comme argument prépondérant, ni comme une preuve irrécusable en faveur de leur opinion, attendu qu'aucun d'eux n'a pu citer un seul fait en dehors de l'Evangile concernant Jésus, aucun d'eux n'a découvert des documents nouveaux inconnus de ses prédécesseurs.

Les auteurs sacrés n'ont pu que tourner dans le même cercle, donner leur appréciation personnelle, tirer des conséquences à leur point de vue, commenter sous de nouvelles formes, et avec plus ou moins de développement, les opinions contradictoires. Tous ceux du même parti ont dû écrire dans le même sens, sinon dans les mêmes termes, sous peine d'être déclarés hérétiques, comme le furent Origène et tant d'autres. Naturellement l'Eglise n'a mis au nombre de ses Pères que les écrivains orthodoxes à son point de vue ; elle n'a exalté, sanctifié et collectionné que ceux qui ont pris sa défense, tandis qu'elle a rejeté les autres et anéanti leurs écrits autant que possible. L'accord des Pères de l'Eglise n'a donc rien de concluant, puisque c'est une unanimité de choix, formée par l'élimination des éléments contraires. Si l'on mettait en regard tout ce qui a été écrit pour et contre, on ne saurait trop de quel côté pencherait la balance.

Ceci n'ôte rien au mérite personnel des soutiens de l'orthodoxie, ni à leur valeur comme écrivains et hommes consciencieux ; ce sont les avocats d'une même cause qui l'ont défendue avec un incontestable talent et devaient forcément prendre les mêmes conclusions. Loin de vouloir les dénigrer en quoi que ce soit, nous avons simplement voulu réfuter la valeur des conséquences qu'on prétend tirer de leur accord.

Dans l'examen que nous allons faire de la question de la divinité du Christ, mettant de côté les subtilités de la scolastique qui n'ont servi qu'à l'embrouiller au lieu de l'élucider, nous nous appuierons exclusivement sur les faits qui ressortent du texte de l'Evangile, et qui, examinés froidement, consciencieusement et sans parti pris, fournissent surabondamment tous les moyens de conviction que l'on peut désirer. Or, parmi ces faits, il n'en est pas de plus prépondérants ni de plus concluants que les paroles mêmes du Christ, paroles que nul ne saurait récuser sans infirmer la véracité des apôtres. On peut interpréter de différentes manières une parabole, une allégorie ; mais des affirmations précises, sans ambiguïté, cent fois répétées, ne sauraient avoir un double sens. Nul autre que Jésus ne peut prétendre savoir mieux que lui ce qu'il a voulu dire, comme nul ne peut prétendre être mieux renseigné que lui sur sa propre nature ; quand il commente ses paroles et les explique pour éviter toute méprise, on doit s'en rapporter à lui, à moins de lui dénier la supériorité qu'on lui attribue et de se substituer à sa propre intelligence. S'il a été obscur sur certains points, quand il s'est servi du langage figuré, sur ce qui touche à sa personne, il n'y a pas d'équivoque possible. Avant l'examen des paroles, voyons les actes.

II
LA DIVINITÉ DU CHRIST
EST-ELLE PROUVÉE PAR LES MIRACLES ?

Selon l'Eglise, la divinité du Christ est principalement établie par les miracles, comme témoignant d'un pouvoir surnaturel. Cette considération a pu être d'un certain poids à une époque où le merveilleux était accepté sans examen ; mais aujourd'hui que la science a porté ses investigations dans les lois de la nature, les miracles rencontrent plus d'incrédules que de croyants ; et ce qui n'a pas peu contribué à leur discrédit, c'est l'abus des imitations frauduleuses et l'exploitation qu'on en a faite. La foi aux miracles s'est détruite par l'usage même qu'on en a fait ; il en est résulté que ceux de l'Evangile sont maintenant considérés par beaucoup de personnes comme purement légendaires.

L'Eglise, d'ailleurs, enlève elle-même aux miracles toute leur portée comme preuve de la divinité du Christ, en déclarant que le démon peut en faire d'aussi prodigieux que lui : car si le démon a un tel pouvoir, il demeure évident que les faits de ce genre n'ont point un caractère exclusivement divin ; s'il peut faire des choses étonnantes à séduire même les élus, comment de simples mortels pourront-ils distinguer les bons miracles des mauvais, et n'est-il pas à craindre qu'en voyant des faits similaires, ils ne confondent Dieu et Satan ?

Donner à Jésus un tel rival en habileté, était une grande maladresse ; mais, en fait de contradictions et d'inconséquences, on n'y regardait pas de si près à une époque où les fidèles se seraient fait un cas de conscience de penser par eux-mêmes et de discuter le moindre article imposé à leur croyance ; alors on ne comptait pas avec le progrès et l'on ne songeait pas que le règne de la foi aveugle et naïve, règne commode comme celui du bon plaisir, pût avoir un terme. Le rôle si prépondérant que l'Eglise s'est obstinée à donner au démon a eu des conséquences désastreuses pour la foi, à mesure que les hommes se sont sentis capables de voir par leurs propres yeux. Le démon, que l'on a exploité avec succès pendant un temps, est devenu la cognée mise au vieil édifice des croyances, et l'une des principales causes de l'incrédulité ; on peut dire que l'Eglise, s'en faisant un auxiliaire indispensable, a nourri dans son sein celui qui devait se tourner contre elle et la miner dans ses fondements.

Une autre considération non moins grave, c'est que les faits miraculeux ne sont pas le privilège exclusif de la religion chrétienne : il n'est pas, en effet, une religion idolâtre ou païenne qui n'ait eu ses miracles, tout aussi merveilleux et tout aussi authentiques, pour les adeptes, que ceux du christianisme. L'Eglise s'est ôté le droit de les contester en attribuant aux puissances infernales le pouvoir d'en produire.

Le caractère essentiel du miracle dans le sens théologique, c'est d'être une exception dans les lois de la nature, et, par conséquent, inexplicable par ces mêmes lois. Dès l'instant qu'un fait peut s'expliquer et qu'il se rattache à une cause connue, il cesse d'être miracle. C'est ainsi que les découvertes de la science ont fait entrer dans le domaine du naturel certains effets qualifiés de prodiges tant que la cause est restée ignorée. Plus tard, la connaissance du principe spirituel, de l'action des fluides sur l'économie, du monde invisible au milieu duquel nous vivons, des facultés de l'âme, de l'existence et des propriétés du périsprit, a donné la clef des phénomènes de l'ordre psychique, et prouvé qu'ils ne sont, pas plus que les autres, des dérogations aux lois de la nature, mais qu'ils en sont, au contraire, des applications fréquentes. Tous les effets de magnétisme, de somnambulisme, d'extase, de double vue, d'hypnotisme, de catalepsie, d'anesthésie, de transmission de pensée, de prescience, de guérisons instantanées, de possessions, d'obsessions, d'apparitions et transfigurations, etc., qui constituent la presque totalité des miracles de l'Evangile, appartiennent à cette catégorie de phénomènes.

On sait maintenant que ces effets sont le résultat d'aptitudes et de dispositions physiologiques spéciales : qu'ils se sont produits dans tous les temps, chez tous les peuples, et ont pu être considérés comme surnaturels au même titre que tous ceux dont la cause était incomprise. Ceci explique pourquoi toutes les religions ont eu leurs miracles, qui ne sont autres que des faits naturels, mais presque toujours amplifiés jusqu'à l'absurde par la crédulité, l'ignorance et la superstition, et que les connaissances actuelles réduisent à leur juste valeur en permettant de faire la part de la légende.

La possibilité de la plupart des faits que l'Evangile cite comme ayant été accompli par Jésus est aujourd'hui complètement démontrée par le Magnétisme et le Spiritisme, en tant que phénomènes naturels. Puisqu'ils se produisent sous nos yeux, soit spontanément soit par provocations, il n'y a rien d'anormal à ce que Jésus possédât des facultés identiques à celles de nos magnétiseurs, guérisseurs, somnambules, voyants, médiums, etc. Dès l'instant que ces mêmes facultés se rencontrent, à différents degrés, chez une foule d'individus qui n'ont rien de divin, qu'on les trouve même chez les hérétiques et les idolâtres, elles n'impliquent en rien une nature surhumaine.

Si Jésus qualifiait lui-même ses actes de miracles, c'est qu'en cela comme en beaucoup d'autres choses, il devait approprier son langage aux connaissances de ses contemporains ; comment ceux-ci auraient-ils pu saisir une nuance de mot qui n'est pas encore comprise aujourd'hui par tout le monde ? Pour le vulgaire les choses extraordinaires qu'il faisait, et qui paraissaient surnaturelles en ce temps-là et même beaucoup plus tard, étaient des miracles ; il ne pouvait y donner un autre nom. Un fait digne de remarque, c'est qu'il s'en est servi pour affirmer la mission qu'il tenait de Dieu, selon ses propres expressions, mais ne s'en est jamais prévalu pour s'attribuer le pouvoir divin.

Il faut donc rayer les miracles des preuves sur lesquelles on prétend fonder la divinité de la personne du Christ ; voyons maintenant si nous les trouverons dans ses paroles.

III
LA DIVINITÉ DE JÉSUS
EST-ELLE PROUVÉE PAR SES PAROLES ?

S'adressant à ses disciples, qui étaient entrés en dispute pour savoir lequel d'entre eux était le plus grand, il leur dit en prenant un petit enfant et le mettant près de lui :

«Quiconque me reçoit, reçoit celui qui m'a envoyé ; car celui qui est le plus petit parmi vous tous, est le plus grand.» (Saint Luc, chap. IX, v. 48.)

«Quiconque reçoit en mon nom un petit enfant comme celui-ci, me reçoit, et quiconque me reçoit, ne me reçoit pas seulement, mais il reçoit celui qui m'a envoyé.» (Saint Marc, chap. IX, v 46.)

«Jésus leur dit donc : «Si Dieu était votre Père, vous m'aimeriez, parce que c'est de Dieu que je suis sorti, et que c'est de sa part que je suis venu ; car je ne suis pas venu de moi-même, mais c'est lui qui m'a envoyé.» (Saint Jean, chap. VIII, v. 42.)

«Jésus leur dit donc : «Je suis encore avec vous pour un peu de temps, et je vais ensuite vers celui qui m'a envoyé.» (Saint Jean, chap. V, v. 33.)

«Celui qui vous écoute m'écoute ; celui qui vous méprise me méprise, et celui qui me méprise, méprise celui qui m'a envoyé.» (Saint Luc, chap. X, v. 16.)

Le dogme de la divinité de Jésus est fondé sur l'égalité absolue entre sa personne et Dieu, puisqu'il est Dieu lui-même : c'est un article de foi ; or, ces paroles si souvent répétées par Jésus : Celui qui m'a envoyé, témoignent non seulement de la dualité des personnes, mais encore, comme nous l'avons dit, excluent l'égalité absolue entre elles ; car celui qui est envoyé est nécessairement subordonné à celui qui envoie ; en obéissant il fait acte de soumission. Un ambassadeur parlant à son souverain, dira : Mon maître, celui qui m'envoie : mais, si c'est le souverain en personne qui vient, il parlera en son propre nom et ne dira pas : Celui qui m'a envoyé, car on ne peut s'envoyer soi-même. Jésus le dit en termes catégoriques par ces mots : je ne suis pas venu de moi-même, mais c'est lui qui m'a envoyé.

Ces paroles : Celui qui me méprise méprise celui qui m'a envoyé, n'impliquent point l'égalité et encore moins l'identité ; de tout temps l'insulte faite à un ambassadeur a été considérée comme faite au souverain lui-même. Les apôtres avaient la parole de Jésus, comme Jésus avait celle de Dieu ; quand il leur dit : Celui qui vous écoute m'écoute, il n'entendait pas dire que ses apôtres et lui ne faisaient qu'une seule et même personne égale en toutes choses.

La dualité des personnes, ainsi que l'état secondaire et subordonné de Jésus par rapport à Dieu, ressortent, en outre, sans équivoque des passages suivants :

«C'est vous qui êtes toujours demeurés fermes avec moi dans mes tentations. - C'est pourquoi je vous prépare le Royaume, comme mon père me l'a préparé - afin que vous mangiez et buviez à ma table dans mon royaume, et que vous soyez assis sur des trônes pour juger les douze tribus d'Israël.» (Saint Luc, chap. XXII, v 28-29-30.)

«Pour moi je dis que j'ai vu chez mon Père, et vous, vous faites ce que vous avez vu chez votre père.» (Saint Jean, chap. VIII, v 38.)

«En même temps il parut une nuée qui les couvrit, et il sortit de cette nuée une voix qui fit entendre ces mots : Celui-ci est mon fils bien-aimé ; écoutez-le.» (Transfigur., Saint Marc, ch. IX, v 6.)

«Or quand le fils de l'homme viendra dans sa majesté, accompagné de tous les anges, il s'assoira sur le trône de sa gloire ; - et toutes les nations étant assemblées, il séparera les unes d'avec les autres, comme le berger sépare les brebis d'avec les boucs, - et il placera les brebis à sa droite et les boucs à sa gauche. - Alors le Roi dira à ceux qui seront à sa droite : Venez, vous qui avez été bénis par mon Père, posséder le royaume qui vous a été préparé dès le commencement du monde.» (Saint Matthieu, chap. XXV, v. 31 à 34.)

«Quiconque me confessera et me reconnaîtra devant les hommes, je le reconnaîtrai et le confesserai aussi devant mon père, qui est dans les cieux ; - et quiconque me renoncera devant les hommes, je le renoncerai aussi moi-même devant mon Père qui est dans les cieux.» (Saint Matthieu, chap. X, v. 32 à 33.)

«Or, je vous déclare que quiconque me confessera et me reconnaîtra devant les hommes, le fils de l'homme le reconnaîtra aussi devant les anges de Dieu ; - mais si quelqu'un me renonce devant les hommes, je le renoncerai aussi devant les anges de Dieu.» (Saint Luc, chap. XII, v. 8, 9.)

«Car si quelqu'un rougit de moi et de mes paroles, le fils de l'homme rougira aussi de lui, lorsqu'il viendra dans sa gloire et dans celle de son père et des saints anges.» (Saint-Luc, chap. IX, v. 26.)

Dans ces deux derniers passages, Jésus semblerait même mettre au-dessus de lui les saints anges composant le tribunal céleste, devant lequel il serait le défenseur des bons et l'accusateur des mauvais.

«Mais pour ce qui est d'être assis à ma droite ou à ma gauche, ce n'est point à moi à vous le donner, mais ce sera pour ceux à qui mon Père l'a préparé.» (Saint Matthieu, chap. XX, v. 23.)

«Or les Pharisiens étant assemblés, Jésus leur dit cette demande - et il leur dit :

«Que vous semble du Christ ? De qui est-il fils ? - Ils lui répondirent : De David. - Et comment donc, leur dit-il, David l'appelle-t-il en esprit son Seigneur par ces paroles : - le Seigneur a dit à mon Seigneur : Asseyez-vous à ma droite jusqu'à ce que je réduise vos ennemis à vous servir de marchepied ? - Si donc David l'appelle son Seigneur, comment est-il son fils ?» (Saint Matthieu, chap. XXII, v. 41 à 45.)

«Mais Jésus enseignant dans le temple leur dit : Comment les scribes disent-ils que le Christ est le fils de David - puisque David lui-même a dit à mon Seigneur : Asseyez-vous à ma droite, jusqu'à ce que j'aie réduit vos ennemis à vous servir de marchepied ? - Puisque donc David l'appelle lui-même son Seigneur, comment est-il son fils ?» (Saint Marc, chap. XII, v. 35, 36, 37. - Saint Luc, chap. XX, v. 41 à 44.)

Jésus consacre, par ces paroles, le principe de la différence hiérarchique qui existe entre le Père et le Fils. Jésus pouvait être le fils de David par filiation corporelle, et comme descendant de sa race, c'est pourquoi il a soin d'ajouter : «Comment l'appelle-t-il en esprit son Seigneur ?» S'il y a une différence hiérarchique entre le père et le fils, Jésus, comme fils de Dieu, ne peut être l'égal de Dieu.

Jésus confirme cette interprétation et reconnaît son infériorité par rapport à Dieu, en termes qui ne laissent pas d'équivoque possible :

«Vous avez entendu ce que je vous ai dit : «Je m'en vais, et je reviens à vous. Si vous m'aimiez, vous vous réjouiriez de ce que je m'en vais à mon Père, parce que mon Père EST PLUS GRAND QUE MOI.» (Saint Jean, chap. XVI, v. 28.)

«Alors un jeune homme s'approche et lui dit : «Bon maître, quel bien faut-il que je fasse pour acquérir la vie éternelle ?» - Jésus lui répondit : «Pourquoi m'appelez-vous bon ? Il n'y a que Dieu seul qui soit bon. Si vous voulez rentrer dans la vie, gardez les commandements.» (Saint Matthieu, chap. XIX, v. 16-17. - Saint Marc, chap. X, v. 17-18. - Saint Luc, chap. XVIII, v. 18-19.)

Non seulement Jésus ne s'est donné, en aucune circonstance, pour l'égal de Dieu, mais ici il affirme positivement le contraire, il se regarde comme inférieur en bonté ; or, déclarer que Dieu est au-dessus de lui par la puissance et ses qualités morales, c'est dire que lui-même n'est pas Dieu. Les passages suivants viennent à l'appui de ceux-ci et sont aussi explicites.

«Je n'ai point parlé de moi- même ; mais mon Père, qui m'a envoyé, est celui qui m'a prescrit par son commandement ce que je dois dire, et comment je dois parler ; - et je sais que son commandement est la vie éternelle ; ce que je dis donc, je le dis selon que mon Père me l'a ordonné.» (Saint Jean, chap. XII, v. 49-50.)

«Jésus leur répondit : «Ma doctrine n'est pas ma doctrine, mais la doctrine de celui qui m'a envoyé. - Si quelqu'un veut faire la volonté de Dieu, il reconnaîtra si ma doctrine est de lui, ou si je parle de moi-même. - Celui qui parle de son propre mouvement, cherche sa propre gloire, mais celui qui cherche la gloire de celui qui l'a envoyé est véridique, et il n'y a point en lui d'injustice.» (Saint Jean, chap. VII, v. 16-17-18.)

«Celui qui ne m'aime point ne garde point ma parole ; et la parole que vous avez entendue n'est point ma parole, mais celle de mon père qui m'a envoyé.» (Saint Jean, chap. XIV, v. 24.)

«Ne croyez-vous pas que je suis dans mon Père et que mon Père est en moi ? Ce que je vous dis, je ne vous le dis pas de moi-même ; mais mon Père qui demeure en moi fait lui-même les oeuvres que je fais.» (Saint Jean, chap. XIV, v. 10.)

«Le ciel et la terre passeront, mais mes paroles ne passeront point. - Pour ce qui est du jour et de l'heure, personne ne le sait, non, pas même les anges qui sont dans le ciel, ni même le Fils, mais seulement le Père.» (Marc, chap. XIII, v. 32. - Matthieu, chap. XXIV, v. 35-36.)

«Jésus leur dit donc : «Quand vous aurez élevé en haut le fils de l'homme, alors vous connaîtrez ce que je suis, car je ne fais rien de moi-même, mais je ne dis que ce que mon Père m'a enseigné ; et celui qui m'a envoyé est avec moi, et ne m'a point laissé seul, parce que je fais toujours ce qui lui est agréable.» (Saint Jean, chap. VIII, v. 28-29.)

«Je suis descendu du ciel non pour faire ma volonté, mais pour faire la volonté de celui qui m'a envoyé.» (Saint Jean, chap. VI, v. 38.)

«Je ne puis rien faire de moi-même. Je juge selon ce que j'entends, et mon jugement est juste parce que je ne cherche pas ma volonté, mais la volonté de celui qui m'a envoyé.» (Saint Jean, chap. V, v. 30.)

«Mais pour moi j'ai un témoignage plus grand que celui de Jean, car les oeuvres que mon Père m'a donné le pouvoir de faire, les oeuvres, dis-je, que je fais, rendent témoignage de moi, que c'est mon Père qui m'a envoyé.» (Saint Jean, chap. V, v. 36.)

«Mais maintenant vous cherchez à me faire mourir, moi qui vous ai dit la vérité que j'ai apprise de Dieu, c'est ce qu'Abraham n'a point fait.» (Saint Jean, chap. VIII, v. 40.)

Dès lors qu'il ne dit rien de lui-même ; que la doctrine qu'il enseigne n'est pas la sienne, mais qu'il la tient de Dieu qui lui a ordonné de venir la faire connaître ; qu'il ne fait que ce que Dieu lui a donné le pouvoir de faire ; que la vérité qu'il enseigne, il l'a apprise de Dieu, à la volonté duquel il est soumis, c'est qu'il n'est pas Dieu lui-même, mais son envoyé, son messie et son subordonné.

Il est impossible de récuser d'une manière plus positive toute assimilation à la personne de Dieu et de déterminer son principal rôle en termes plus précis. Ce ne sont pas là des pensées cachées sous le voile de l'allégorie, et qu'on ne découvre qu'à force d'interprétations : c'est le sens propre exprimé sans ambiguïté.

Si l'on objectait que Dieu, ne voulant pas se faire connaître en la personne de Jésus, a donné le change sur son individualité, on pourrait demander sur quoi est fondée cette opinion, et qui a autorité pour sonder le fond de sa pensée, et donner à ses paroles un sens contraire à celui qu'elles expriment ? Puisque du vivant de Jésus, personne ne le considérait comme Dieu, mais qu'on le regardait, au contraire, comme un messie, s'il ne voulait pas être connu pour ce qu'il était, il lui suffisait de ne rien dire ; de son affirmation spontanée, il faut conclure qu'il n'était pas Dieu, ou que s'il l'était, il a volontairement et sans utilité, dit une chose fausse.

Il est remarquable que saint Jean, celui des Evangélistes sur l'autorité duquel on s'est le plus appuyé pour établir le dogme de la divinité du Christ, est précisément celui qui renferme les arguments contraires les plus nombreux et les plus positifs ; on peut s'en convaincre par la lecture des passages suivants, qui n'ajoutent rien, il est vrai, aux preuves déjà citées, mais viennent à leur appui, parce qu'il en ressort évidemment la dualité et l'inégalité des personnes :

«A cause de cela, les Juifs poursuivaient Jésus et cherchaient à le faire mourir parce qu'il avait fait ces choses le jour du Sabbat. - Mais Jésus leur dit : «Mon père agit jusqu'à présent, et j'agis aussi. (Jean, chap. V, v. 16-17.)

«Car le Père ne juge personne ; mais il a donné tout pouvoir de juger au Fils - afin que tous honorent le Fils comme ils honorent le Père. Celui qui n'honore point le Fils, n'honore point le Père qui l'a envoyé.»

«En vérité, en vérité, je vous le dis, celui qui entend ma parole et qui croit à celui qui m'a envoyé, a la vie éternelle et il ne tombe point dans la condamnation ; mais il a déjà passé de la mort à la vie.»

«En vérité, en vérité, je vous le dis, l'heure vient, et elle est déjà venue, où les morts entendront la voix du Fils de Dieu, et ceux qui l'entendront, vivront ; car comme le Père a la vie en lui-même, il a aussi donné au Fils d'avoir la vie en lui-même - et lui a donné le pouvoir de juger, parce qu'il est le Fils de l'homme.» (Jean, chap. V, v. 22 à 27.)

«Et le Père qui m'a envoyé a, lui-même, rendu témoignage de moi. Vous n'avez jamais entendu sa voix, ni vu sa face. - Et sa parole ne demeurera pas en vous, parce que vous ne croyez pas à celui qu'il a envoyé.» (Jean, chap. V, v. 37-38.)

«Et quand je jugerais, mon jugement serait digne de foi, car je ne suis pas seul ; mais mon Père qui m'a envoyé est avec moi.» (Jean, chap. VIII, v. 16.)

«Jésus ayant dit ces choses, leva les yeux au ciel et dit : «Mon Père, l'heure est venue ; glorifiez votre Fils, afin que votre Fils vous glorifie. - «Comme vous lui avez donné puissance sur tous les hommes, afin qu'il donne la vie éternelle à tous ceux que vous lui avez donnés. - Or, la vie éternelle consiste à vous connaître, vous qui êtes LE SEUL DIEU véritable, et Jésus-Christ que vous avez envoyé.

«Je vous ai glorifié sur la terre ; j'ai achevé l'ouvrage dont vous m'aviez chargé. - Et vous, mon Père, glorifiez-moi donc aussi maintenant en vous-même, de cette gloire que j'ai eue en vous avant que le monde fût.

«Je ne serai bientôt plus dans le monde ; mais pour eux, ils sont encore dans le monde, et moi, je m'en retourne à vous. Père saint, conservez en votre nom ceux que vous m'avez donnés, afin qu'ils soient un comme nous.»

«Je leur ai donné votre parole, et le monde les a haïs, parce qu'ils ne sont point du monde, comme je ne suis point moi-même du monde.»

«Sanctifiez-les dans la vérité. Votre parole est la vérité même. - Comme vous m'avez envoyé dans le monde, je les ai aussi envoyés dans le monde - et je me sanctifie moi-même pour eux, afin qu'ils soient aussi sanctifiés dans la vérité.»

«Je ne prie pas pour eux seulement, mais encore pour ceux qui doivent croire en moi par leur parole ; - afin qu'ils soient tous ensemble, comme vous, mon Père, êtes en moi et moi en vous ; qu'ils soient de même un en nous, afin que le monde croie que vous m'avez envoyé.»

«Mon Père, je désire que là où je suis, ceux que vous m'avez donnés y soient aussi avec moi ; afin qu'ils contemplent ma gloire que vous m'avez donnée, parce que vous m'avez aimé avant la création du monde.»

«Père juste, le monde ne vous a point connu ; mais moi, je vous ai connu : et ceux-ci ont connu que vous m'avez envoyé. - Je leur ai fait connaître votre nom et le leur ferai connaître encore, afin que l'amour dont vous m'avez aimé soit en eux, et que je sois moi-même en eux.» (Jean, chap. XVII, v. de 1 à 5, de 11 à 14, de 17 à 26, Prière de Jésus.)

«C'est pour cela que mon Père m'aime, parce que je quitte ma vie pour la reprendre. - Personne ne me la ravit, mais c'est moi qui la quitte de moi-même ; j'ai le pouvoir de la quitter et j'ai le pouvoir de la reprendre. C'est le commandement que j'ai reçu de mon Père.» (Jean, chap. X, v. 17, 18.)

«Ils ôtèrent la pierre, et Jésus, levant les yeux en haut, dit ces paroles : Mon Père, je vous rends grâce de ce que vous m'avez exaucé. - Pour moi je savais que vous m'exauciez toujours : mais je dis ceci pour ce peuple qui m'environne, afin qu'il croie que c'est vous qui m'avez envoyé.» (Mort de Lazare, Saint Jean, chap. XI, v 41-42.)

«Je ne vous parlerai plus guère, car le prince de ce monde va venir, quoiqu'il n'ait rien en moi qui lui appartienne : mais afin que le monde connaisse que j'aime mon Père et que je fais ce que mon Père m'a ordonné.» (Jean, chap. XIV, v. 30-31.)

«Si vous gardez mes commandements, vous demeurerez dans mon amour, comme j'ai moi-même gardé les commandements de mon Père, et que je demeure dans son amour.» (Jean, chap. XV, v. 10.)

«Alors Jésus jetant un grand cri, dit : Mon Père, je remets mon âme entre vos mains. Et en prononçant ces mots, il expira.» (Saint Luc, chap. XXIII, v. 46.)

Puisque Jésus en mourant remet son âme entre les mains de Dieu, il avait donc une âme distincte de Dieu, soumise à Dieu, donc il n'était pas Dieu lui-même.

Les paroles suivantes témoignent d'une certaine faiblesse humaine, d'une appréhension de la mort et des souffrances que Jésus va endurer, et qui contraste avec la nature essentiellement divine qu'on lui attribue ; mais elles témoignent en même temps d'une soumission qui est celle d'inférieur à supérieur.

«Alors Jésus arriva dans un lieu appelé Gethsémani ; et il dit à ses disciples : Asseyez-vous ici pendant que je m'en vais là pour prier. - Et ayant pris avec lui Pierre et les deux fils de Zébédée, il commença à s'attrister et à être dans une grande affliction - Alors il leur dit : Mon âme est triste jusqu'à la mort ; demeurez ici et veillez avec moi. - Et s'en allant un peu plus loin, il se prosterna le visage contre terre, priant et disant : Mon Père, s'il est possible, faites que ce calice s'éloigne de moi ; néanmoins, qu'il en soit, non comme je le veux, mais comme vous le voulez. - Il vint ensuite vers ses disciples, et, les ayant trouvés endormis, il dit à Pierre : Quoi ! vous n'avez pu veiller une heure avec moi ? - Veillez et priez afin que vous ne tombiez point dans la tentation. L'esprit est prompt, mais la chair est faible. - Il s'en alla encore prier une seconde fois, en disant : Mon Père, si ce calice ne peut passer sans que je le boive, que votre volonté soit faite.» (Jésus au jardin des Oliviers, Saint Matthieu, chap. XXVI, v. de 36 à 42.)

«Alors il leur dit : Mon âme est triste jusqu'à la mort ; demeurez ici et veillez. - Et étant allé un peu plus loin, il se prosterna contre terre, priant que, s'il était possible, cette heure s'éloignât de lui. - Et il disait : Abba, mon Père, tout vous est possible, transportez ce calice loin de moi ; mais néanmoins que votre volonté soit faite et non la mienne.» (Saint Marc, chap. XIV, v. 34, 35, 36.)

«Lorsqu'il fut arrivé en ce lieu-là, il leur dit : Priez afin que vous ne succombiez point à la tentation. - Et s'étant éloigné d'eux d'environ un jet de pierre, il se mit à genoux en disant : Mon Père, si vous voulez, éloignez ce calice de moi ; néanmoins que ce ne soit pas ma volonté qui se fasse, mais la vôtre. - Alors il lui apparut un ange du ciel qui vint le fortifier. - Et étant tombé en agonie, il redoublait ses prières. - Et il lui vint une sueur de gouttes de sang qui coulait jusqu'à terre.» (Saint Luc, chap. XXII, v. de 40 à 44.)

«Et sur la neuvième heure, Jésus jeta un grand cri, en disant : Eli ! Eli ! Lamma Sabachthani ? c'est-à-dire : mon Dieu ! mon Dieu ! pourquoi m'avez-vous abandonné ? (Matthieu, chap. XXVII, v. 46.)

«Et à la neuvième heure, Jésus jeta un grand cri en disant : Mon Dieu ! mon Dieu ! pourquoi m'avez-vous abandonné ?» (Marc, chap. XX, v. 34.)

Les passages suivants pourraient laisser quelque incertitude et donner lieu de croire à une identification de Dieu avec la personne de Jésus ; mais outre qu'ils ne sauraient prévaloir sur les termes précis de ceux qui précèdent, ils portent encore en eux-mêmes leur propre rectification.

«Ils lui dirent : Qui êtes-vous donc ? Jésus leur répondit : Je suis le principe de toutes choses, moi-même qui vous parle. - J'ai beaucoup de choses à dire de vous ; mais celui qui m'a envoyé est véritable, et je ne dis que ce que j'ai appris de lui.» (Saint Jean, chap. VII, v. 25-26.)

«Ce que mon Père m'a donné est plus grand que toutes choses ; et personne ne peut le ravir de la main de mon Père. Mon père et moi nous sommes une même chose.»

C'est-à-dire que son père et lui ne sont qu'un par la pensée, puisqu'il exprime la pensée de Dieu, qu'il a la parole de Dieu.

«Alors les Juifs prirent des pierres pour le lapider. - Et Jésus leur dit : J'ai fait devant vous plusieurs bonnes oeuvres par la puissance de mon père : pour laquelle est-ce que vous me lapidez ? - Les Juifs lui répondirent : «Ce n'est pas pour aucune bonne oeuvre que nous vous lapidons, mais à cause de votre blasphème et parce qu'étant homme vous vous faites Dieu. - Jésus leur répartit : N'est-il pas écrit dans votre loi : J'ai dit que vous êtes des dieux ? - Si donc on appelle dieux ceux à qui la parole de Dieu était adressée, et que l'Ecriture ne puisse être détruite - pourquoi dites-vous que je blasphème, moi que mon Père a sanctifié et envoyé dans le monde, parce que j'ai dit que je suis le fils de Dieu ? - Si je ne fais pas les oeuvres de mon Père, ne me croyez pas ; - mais si je les fais, quand vous ne voudriez pas me croire, croyez à mes oeuvres, afin que vous connaissiez et que vous croyiez que mon Père est en moi, et moi dans mon Père.» (Jean, chap. X, v. 29 à 38.)

Dans un autre chapitre, s'adressant à ses disciples, il leur dit :

«En ce jour-là vous connaîtrez que je suis en mon Père et vous en moi, et moi en vous.» (Jean, chap. XIV, v. 20.)

De ces paroles il ne faut pas conclure que Dieu et Jésus ne font qu'un, autrement il faudrait conclure aussi des mêmes paroles, que les apôtres ne font également qu'un avec Dieu.

IV
PAROLES DE JÉSUS
APRÈS SA MORT.

«Jésus lui répondit : Ne me touchez pas, car je ne suis pas encore monté vers mon Père ; mais allez trouver mes frères et leur dites de ma part : Je monte vers mon Père et votre Père, vers MON DIEU et votre Dieu.» (Apparition à Marie-Madeleine. Saint Jean, chap. XX, v. 17.)

«Mais Jésus, s'approchant, leur parla ainsi : Toute puissance m'a été donnée dans le ciel et sur la terre.» (Apparition aux Apôtres. Saint Matthieu, chap. XXVIII, v. 18.)

«Or vous êtes témoins de ces choses ; - Et je vais vous envoyer le don de mon Père qui vous a été promis.» (Apparition aux Apôtres. Saint Luc, chap. XXIV, v. 48-49.)

Tout accuse donc dans les paroles de Jésus, soit de son vivant, soit après sa mort, une dualité de personnes parfaitement distinctes, ainsi que le profond sentiment de son infériorité et de sa subordination par rapport à l'Etre suprême. Par son insistance à l'affirmer spontanément, sans y être contraint ni provoqué par qui que ce soit, il semble vouloir protester d'avance contre le rôle qu'il prévoit qu'on lui attribuera un jour. S'il eût gardé le silence sur le caractère de sa personnalité, le champ fût resté ouvert à toutes les suppositions comme à tous les systèmes ; mais la précision de son langage lève toute incertitude.

Quelle autorité plus grande peut-on trouver que les propres paroles de Jésus ? Lorsqu'il dit catégoriquement : je suis ou je ne suis pas telle chose, qui oserait s'arroger le droit de lui donner un démenti, fût-ce pour le placer plus haut qu'il ne se place lui-même ? Qui est-ce qui peut raisonnablement prétendre être plus éclairé que lui sur sa propre nature ? Quelles interprétations peuvent prévaloir contre des affirmations aussi formelles et aussi multipliées que celles-ci :

«Je ne suis pas venu de moi-même, mais celui qui m'a envoyé est le seul Dieu véritable. - C'est de sa part que je suis venu. - Je dis ce que j'ai vu chez mon Père. - Ce n'est point à moi à vous le donner, mais ce sera pour ceux à qui mon Père l'a préparé. - Je m'en vais à mon Père, parce que mon Père est plus grand que moi. - Pourquoi m'appelez-vous bon ? Il n'y a que Dieu seul qui soit bon. - Je n'ai point parlé de moi-même, mais mon Père, qui m'a envoyé, est celui qui m'a prescrit par son commandement ce que je dois dire. - Ma doctrine n'est pas ma doctrine, mais la doctrine de celui qui m'a envoyé. - La parole que vous avez entendue n'est point ma parole, mais celle de mon Père qui m'a envoyé. - Je ne fais rien de moi-même, mais je ne dis que ce que mon Père m'a enseigné. - Je ne puis rien faire de moi-même. -

Je ne cherche pas ma volonté, mais la volonté de celui qui m'a envoyé. - Je vous ai dit la vérité que j'ai apprise de Dieu. - Ma nourriture est de faire la volonté de celui qui m'a envoyé. - Vous qui êtes le seul Dieu véritable, et Jésus-Christ que vous avez envoyé. - Mon Père, je remets mon âme entre vos mains. - Mon Père, s'il est possible, faites que ce calice s'éloigne de moi. - Mon Dieu, mon Dieu, pourquoi m'avez-vous abandonné ? - Je monte vers mon Père et votre Père, vers mon Dieu et votre Dieu.»

Quand on lit de telles paroles, on se demande comment il a seulement pu venir à la pensée de leur donner un sens diamétralement opposé à celui qu'elles expriment si clairement, de concevoir une identification complète de nature et depuissance entre le maître et celui qui se dit son serviteur. Dans ce grand procès qui dure depuis quinze siècles, quelles sont les pièces de conviction ? Les Evangiles, - il n'y en a pas d'autres - qui, sur le point en litige, ne donnent lieu à aucune équivoque. A des documents authentiques, que l'on ne peut contester sans s'inscrire en faux contre la véracité des évangélistes et de Jésus lui-même, documents établis par des témoins oculaires, qu'oppose-t-on ? Une doctrine théorique purement spéculative, née trois siècles plus tard d'une polémique engagée sur la nature abstraite du Verbe, vigoureusement combattue pendant plusieurs siècles, et qui n'a prévalu que par la pression d'un pouvoir civil absolu.

V
DOUBLE NATURE DE JÉSUS.

On pourrait objecter qu'en raison de la double nature de Jésus, ses paroles étaient l'expression de son sentiment comme homme et non comme Dieu. Sans examiner en ce moment par quel enchaînement de circonstances on a été conduit, bien plus tard, à l'hypothèse de cette double nature, admettons-la pour un instant, et voyons si, au lieu d'élucider la question, elle ne la complique pas au point de la rendre insoluble.

Ce qui devait être humain en Jésus, c'était le corps, la partie matérielle ; à ce point de vue on comprend qu'il ait pu et même dû souffrir comme homme. Ce qui devait être divin en lui, c'est l'âme, l'Esprit, la pensée, en un mot la partie spirituelle de l'Etre. S'il sentait et souffrait comme homme, il devait penser et parler comme Dieu. Parlait-il comme homme ou comme Dieu ? C'est là une question importante pour l'autorité exceptionnelle de ses enseignements. S'il parlait comme homme, ses paroles sont controversables ; s'il parlait comme Dieu, elles sont indiscutables ; il faut les accepter et s'y conformer sous peine de désertion et d'hérésie ; le plus orthodoxe sera celui qui s'en rapprochera le plus.

Dira-t-on que, sous son enveloppe corporelle, Jésus n'avait pas conscience de sa nature divine ? Mais s'il en était ainsi, il n'aurait pas même pensé comme Dieu, sa nature divine aurait été à l'état latent ; la nature humaine seule aurait présidé à sa mission, à ses actes moraux comme à ses actes matériels. Il est donc impossible de faire abstraction de sa nature divine pendant sa vie, sans affaiblir son autorité.

Mais s'il a parlé comme Dieu, pourquoi cette incessante protestation contre sa nature divine, que, dans ce cas, il ne pouvait ignorer ? Il se serait donc trompé, ce qui serait peu divin, ou il aurait sciemment trompé le monde, ce qui le serait encore moins. Il nous paraît difficile de sortir de ce dilemme.

Si l'on admet qu'il a parlé tantôt comme homme, tantôt comme Dieu, la question se complique par l'impossibilité de distinguer ce qui venait de l'homme de ce qui venait de Dieu.

Dans le cas où il aurait eu des motifs pour dissimuler sa véritable nature pendant sa mission, le moyen le plus simple était de n'en pas parler, ou de s'exprimer comme il l'a fait en d'autres circonstances, d'une manière vague et parabolique sur les points dont la connaissance était réservée à l'avenir ; or, tel n'est pas ici le cas, puisque ces paroles n'ont aucune ambiguïté.

Enfin, si malgré toutes ces considérations, on pouvait encore supposer que, de son vivant, il eût ignoré sa véritable nature, cette opinion n'est plus admissible après sa résurrection ; car, lorsqu'il apparaît à ses disciples, ce n'est plus l'homme qui parle, c'est l'Esprit dégagé de la matière, qui doit avoir recouvré la plénitude de ses facultés spirituelles et la conscience de son état normal, de son identification avec la divinité ; et cependant c'est alors qu'il dit : Je monte vers mon Père et votre Père, vers mon Dieu et votre Dieu !

La subordination de Jésus est encore indiquée par sa qualité même de médiateur qui implique l'existence d'une personne distincte ; c'est lui qui intercède auprès de son Père ; qui s'offre en sacrifice pour racheter les pécheurs ; or, s'il est Dieu lui-même, ou s'il lui est égal en toutes choses, il n'a pas besoin d'intercéder, car on n'intercède pas auprès de soi-même.

VI
OPINION DES APÔTRES.

Jusqu'à présent nous nous sommes exclusivement appuyé sur les paroles mêmes du Christ, comme le seul élément péremptoire de convictions, parce qu'en dehors de cela, il ne peut y avoir que des opinions personnelles.

De toutes ces opinions, celles qui ont le plus de valeur sont incontestablement celles des apôtres, attendu qu'ils l'ont assisté dans sa mission, et que, s'il leur a donné des instructions secrètes touchant sa nature, on en trouverait des traces dans leurs écrits. Ayant vécu dans son intimité, mieux que qui que ce soit, ils devaient le connaître. Voyons donc de quelle manière ils l'ont considéré.

«O Israélites, écoutez les paroles que je vais vous dire : Vous savez que Jésus de Nazareth a été un homme que Dieu a rendu célèbre parmi vous par les merveilles, les prodiges et les miracles qu'il a faits par lui au milieu de vous. - Cependant vous l'avez crucifié, et vous l'avez fait mourir par les mains des méchants, vous ayant été livré par un ordre exprès de la volonté de Dieu et par un décret de sa prescience. - Mais Dieu l'a ressuscité, en arrêtant les douleurs de l'enfer, étant impossible qu'il y fût retenu. - Car David a dit en son nom : J'avais toujours le Seigneur présent devant moi, parce qu'il est à ma droite, afin que je ne sois pas ébranlé. - C'est pour cela que mon coeur s'est réjoui, que ma langue a chanté des cantiques de joie, et que ma chair même reposera en espérance ; - parce que vous ne laisserez point mon âme dans l'enfer, et que vous ne permettrez point que votre Saint éprouve la corruption. - Vous m'avez fait connaître le chemin de la vie, et vous me remplirez de la joie que donne la vue de votre visage.» (Actes des Ap., chap. II, v. 22 à 28. Prédication de saint Pierre.)

«Après donc qu'il a été élevé par la puissance de Dieu et qu'il a reçu l'accomplissement de la promesse que le Père lui avait faite d'envoyer le Saint-Esprit, il a répandu cet Esprit-Saint que vous voyez et entendez maintenant ; - car David n'est point monté dans le ciel ; - or il dit lui-même : Le Seigneur a dit à mon Seigneur : Asseyez-vous à ma droite - jusqu'à ce que j'aie réduit vos ennemis à vous servir de marchepied. - Que toute la maison d'Israël sache donc très certainement queDieu a fait Seigneur et Christ ce Jésus que vous avez crucifié.» (Actes des Ap., chap. II, v. de 33 à 36. Prédication de saint Pierre.)

«Moïse a dit à nos pères : le Seigneur votre Dieu vous suscitera d'entre vos frères un prophète comme moi ; écoutez-le en tout ce qu'il vous dira. - Quiconque n'écoutera pas ce prophète sera exterminé du milieu du peuple.

«C'est pour vous premièrement que Dieu a suscité son Fils, il vous l'a envoyé pour vous bénir, afin que chacun se convertisse de sa mauvaise vie.» (Actes des

Ap., chap. III, v. 22, 23, 26. Prédication de saint Pierre.)

«Nous vous déclarons à vous tous et à tout le peuple d'Israël, que c'est par le nom de Notre-Seigneur Jésus-Christ de Nazareth, lequel vous avez crucifié, et que Dieu a ressuscité d'entre les morts ; c'est par lui que cet homme est maintenant guéri, comme vous le voyez devant vous.» (Actes des Ap., chap. IV, v. 10. Prédication de saint Pierre).

«Les rois de la terre se sont élevés, et les princes se sont unis ensemble contre le Seigneur et contre son Christ. - Car Hérode et Ponce-Pilate avec les Gentils et le peuple d'Israël se sont vraiment mis ensemble dans cette ville contre votre saint Fils Jésus, que vous avez consacré par votre onction, pour faire tout ce que votre puissance et votre conseil avaient ordonné devoir être fait.» (Actes des Ap., chap. VI, v. 26, 27, 28. Prière des Apôtres.)

«Pierre et les autres apôtres répondirent : il faut plutôt obéir à Dieu qu'aux hommes. - Le Dieu de nos Pères a ressuscité Jésus que vous avez fait mourir en le pendant sur le bois. - C'est lui que Dieu a élevé par sa droite, comme étant le prince et le sauveur, pour donner à Israël la grâce de la pénitence et la rémission des péchés.» (V. Actes des Ap., chap. V, v. 29, 30, 31. Réponse des Apôtres au grand prêtre.)

«C'est ce Moïse qui a dit aux enfants d'Israël : Dieu vous suscitera d'entre vos frères un prophète comme moi, écoutez-le.

«Mais le Très-Haut n'habite point dans des temples faits par la main des hommes, selon cette parole du prophète : - Le ciel est mon trône, et la terre est mon marchepied. Quelle maison me bâtirez-vous, dit le Seigneur ? et quel pourrait être le lieu de mon repos ?» (Actes des Ap., chap. VII, v. 37, 48, 49. Discours d'Etienne).

«Mais Etienne était rempli du Saint-Esprit, et levant les yeux au ciel, vit la gloire de Dieu, et Jésus qui était debout à la droite de Dieu, et il dit : Je vois les cieux ouverts, et le Fils de l'homme qui est debout à la droite de Dieu.

«Alors jetant de grands cris, et se bouchant les oreilles, ils se jetèrent sur lui tous ensemble ; - et l'ayant entraîné hors des murs de la ville, ils le lapidèrent ; et les témoins mirent leurs vêtements aux pieds d'un jeune homme nommé Saül (plus tard saint Paul.) - Ainsi ils lapidaient Etienne, et il invoquait Jésus et disait : Seigneur JESUS, recevez mon esprit.» (Actes des Ap., chap. VII, v. de 55 à 58. Martyre d'Etienne.)

Ces citations témoignent clairement du caractère que les apôtres attribuaient à Jésus. L'idée exclusive qui en ressort est celle de sa subordination à Dieu, de la constante suprématie de Dieu, sans que rien n'y révèle une pensée d'assimilation quelconque de nature et de puissance. Pour eux Jésus était un homme prophète, choisi et béni par Dieu. Ce n'est donc pas parmi les apôtres que la croyance à la divinité de Jésus a pris naissance. Saint Paul, qui n'avait pas connu Jésus, mais qui, d'ardent persécuteur, devint le plus zélé et le plus éloquent disciple de la foi nouvelle, et dont les écrits ont préparé les premiers formulaires de la religion chrétienne, n'est pas moins explicite à cet égard. C'est le même sentiment de deux êtres distincts, et de la suprématie du Père sur le fils.

«Paul, serviteur de Jésus-Christ, apôtre de la vocation divine, choisi et destiné pour annoncer l'Evangile de Dieu - qu'il avait promis auparavant par ses prophètes dans les écritures saintes - touchant son fils, qui, lui, est né, selon la chair, du sang et de la race de David ; - qui a été prédestiné pour être fils de Dieu dans une souveraine puissance, selon l'Esprit de sainteté, par la résurrection d'entre les morts touchant, dis-je, Jésus-Christ notre Seigneur ; - par qui nous avons reçu la grâce de l'apostolat, pour faire obéir à la foi toutes les nations par la vertu de son nom ; - au rang desquelles vous êtes aussi, comme ayant été appelés par Jésus-Christ ; - à vous qui êtes à Rome, qui êtes chéris de Dieu, et appelés pour être saints ; que Dieu notre Père, et Jésus-Christ notre Seigneur vous donnent la grâce et la paix.» (Romains, chap. I, v. de 1 à 7.)

«Ainsi étant justifiés par la foi, ayons la paix avec Dieu par Jésus-Christ notre Seigneur.

«Car pourquoi, lorsque nous étions encore dans les langueurs du péché, Jésus-Christ est-il mort pour des impies comme nous dans le temps destiné de Dieu ?

«Jésus-Christ n'a pas laissé de mourir pour nous dans le temps destiné de Dieu. Ainsi étant maintenant justifiés par son sang, nous serons à plus forte raison délivrés par lui de la colère de Dieu.

«Et non seulement nous avons été réconciliés, mais nous nous glorifions même en Dieu par Jésus-Christ, notre Seigneur, par qui nous avons obtenu cette réconciliation.

«Si par le péché d'un seul plusieurs sont morts, la miséricorde et le don de Dieu se sont répandus à plus forte raison abondamment sur plusieurs par la grâce d'un seul homme, qui est Jésus-Christ. (Romains, chap. V, v. 1, 6, 9, 11, 15, 17.)

«Si nous sommes enfants, nous sommes aussi héritiers ; HERITIERS de Dieu et CO-HERITIERS de Jésus-Christ, pourvu toutefois que nous souffrions avec lui. (Romains, chap. VIII, v. 17.)

«Si vous confessez de bouche que Jésus-Christ est le Seigneur et si vous croyez de coeur que Dieu l'a ressuscité d'entre les morts, vous serez sauvés.» (Romains, chap. X, v. 9.)

«Ensuite viendra la consommation de toutes choses, lorsqu'il aura remis son royaume à Dieu, son Père, et qu'il aura détruit tout empire, toute domination, toute puissance, - car Jésus-Christ doit régner jusqu'à ce que son Père ait mis tous ses ennemis sous les pieds. - Or, la mort sera le dernier ennemi qui sera détruit ; car l'Ecriture dit que Dieu lui a mis tout sous les pieds et lui a tout assujetti ; il est indubitable qu'il faut en excepter celui qui a assujetti toutes choses. - Lors donc que toutes choses auront été assujetties au Fils, alors le Fils sera lui-même assujetti à celui qui lui aura assujetti toutes choses, afin que Dieu soit tout en tous. (I Corinthiens, chap. XV, v. de 24 à 28.)

«Mais nous voyons que Jésus qui avait été rendu, pour un peu de temps, inférieur aux anges, a été couronné de gloire et d'honneur à cause de la mort qu'il a soufferte ; Dieu, par sa bonté, ayant voulu qu'il mourût pour tous - car il était bien digne de Dieu, pour qui et par qui sont toutes choses, que, voulant conduire à la gloire plusieurs enfants, il consommât et perfectionnât par la souffrance, celui qui devait être le chef et l'auteur de leur salut.

«Aussi celui qui sanctifie et ceux qui sont sanctifiés, viennent tous d'un même principe ; c'est pourquoi il ne rougit point de les appeler ses frères - en disant : J'annoncerai votre nom à mes frères ; je chanterai vos louanges au milieu de l'assemblée de votre peuple. - Et ailleurs : je mettrai ma confiance en lui. Et en un autre lieu : me voici avec les enfants que Dieu m'a donnés.

«C'est pourquoi il a fallu qu'il fût en tout semblable à ses frères, pour être envers Dieu un pontife compatissant et fidèle en son ministre, afin d'expier les péchés du peuple. - Car c'est des peines et des souffrances mêmes, par lesquelles il a été tenté et éprouvé, qu'il tire la vertu et la force de secourir ceux qui sont aussi tentés. (Hébr., chap. II, v. de 9 à 13, 17, 18.)

«Vous donc, mes saints frères, qui avez part à la vocation céleste, considérez Jésus, qui est l'apôtre et le pontife de la religion que nous professons ; - qui est fidèle à celui qui l'a établi dans cette charge, comme Moïse lui a été fidèle en toute sa maison ; - car il a été jugé digne d'une gloire d'autant plus grande que celle de Moïse, que celui qui a bâti la maison est plus estimable que la maison même ; car il n'y a point de maison qui n'ait été bâtie par quelqu'un. Or, celui qui est l'architecte et le créateur de toutes choses est Dieu.» (Hébr., chap. III, v. de 1 à 4.)

VII
PRÉDICTIONS DES PROPHÈTES
CONCERNANT JÉSUS.

Outre les affirmations de Jésus et l'opinion des apôtres, il est un témoignage dont les plus orthodoxes des croyants ne sauraient contester la valeur, puisqu'ils en excipent constamment comme d'un article de foi ; c'est celui de Dieu lui-même : c'est-à-dire celui des prophètes, parlant sous l'inspiration et annonçant la venue du Messie. Or, voici les passages de la Bible considérés comme la prédiction de ce grand événement.

«Je le vois, mais non pas maintenant : je le regarde, mais non pas de près : une étoile est procédée de Jacob, et un sceptre s'est élevé d'Israël, et il transpercera les chefs de Moab, et il détruira tous les enfants de Seth. (Nombres, XXIV, v. 17.)

«Je leur susciterai un prophète, comme toi, d'entre leurs frères, et je mettrai mes paroles en sa bouche et il leur dira ce que je lui aurai commandé. Et il arrivera que quiconque n'écoutera pas les paroles qu'il aura dites en mon nom, je lui en demanderai compte.» (Deutéronome, XVIII, v. 18-19.)

«Il arrivera donc, quand les jours seront accomplis pour t'en aller avec tes pères, que je ferai lever de ta postérité un de tes fils, et j'établirai son règne. Il me bâtira une maison, et j'affermirai son trône à jamais. Je lui serai père et il me sera fils ; et je ne retirerai pas ma miséricorde de lui, comme je l'ai retirée d'avec celui qui a été avant toi, et je l'établirai dans ma maison et dans mon royaume à jamais, et son trône sera affermi à jamais.» (I, Paralipomènes, XVII, v. de 11 à 14.)

«C'est pourquoi le Seigneur lui-même vous donnera un signe. Voici : une vierge sera enceinte, et elle enfantera un fils, et on appellera son nom Emmanuel.» (Isaïe, VII, v. 14.)

«Car l'enfant nous est né, le Fils nous a été donné, et l'empire a été posé sur son épaule et on appellera son nom, l'Admirable, le Conseiller, le Dieu fort, le Puissant, le Père de l'éternité, le Prince de la paix.» (Isaïe, IX, v. 5.)

«Voici mon serviteur, je le soutiendrai : c'est mon élu, mon âme y a mis son affection ; j'ai mis mon Esprit sur lui ; il exercera la justice parmi les nations.

«Il ne se retirera point, ni ne se précipitera point, jusqu'à ce qu'il ait établi la justice sur la terre, et les êtres s'arrêteront à sa loi.» (Isaïe, XLII, v. 1 et 4.)

«Il jouira du travail de son âme, et il en sera rassasié ; et mon serviteur juste en justifiera plusieurs par la connaissance qu'ils auront de lui, et lui-même portera leurs iniquités.» (Isaïe, LIII, v. 11.)

«Réjouis-toi extrêmement, fille de Sion ; jette des cris de réjouissance, fille de Jérusalem ! Voici : ton roi viendra à toi, juste et sauveur humble, et monté sur un âne, et sur le poulain d'une ânesse. Et je retrancherai les chariots de guerre d'Ephraïm, et les chevaux de Jérusalem, et l'arc du combat sera aussi retranché et le roi parlera de paix aux nations ; et sa domination s'étendra depuis une mer jusqu'à l'autre mer, et depuis le fleuve jusqu'aux bouts de la terre.» (Zacharie, IX, v. 9-10.)

«Et il (le Christ) se maintiendra, et il gouvernera par la force de l'Eternel, et avec la magnificence du nom de l'Eternel son Dieu. Et ils reviendront, et maintenant il sera glorifié jusqu'aux bouts de la terre, et c'est lui qui fera la paix.» (Michée, V, v. 4.)

La distinction entre Dieu et son envoyé futur est caractérisée de la manière la plus formelle. Dieu le désigne son serviteur, par conséquent son subordonné ; rien, dans ses paroles, qui implique l'idée, d'égalité de puissance ni de consubstantialité entre les deux personnes. Dieu se serait-il donc trompé, et les hommes venus trois siècles après Jésus-Christ auraient-ils vu plus juste que lui ? Telle paraît être leur prétention.

VIII
LE VERBE S'EST FAIT CHAIR.

«Au commencement était le Verbe, et le Verbe était avec Dieu, et le Verbe était Dieu. - Il était au commencement avec Dieu. - Toutes choses ont été faites par lui ; et rien de ce qui a été fait n'a été fait sans lui. - En lui était la vie, et la vie était la lumière des hommes ; - Et la lumière a lui dans les ténèbres, et les ténèbres ne l'ont point comprise.

«Il y eut un homme envoyé de Dieu qui s'appelait Jean. - Il vint pour servir de témoin, pour rendre témoignage à la lumière, afin que tous crussent par lui. - Il n'était pas la lumière, mais il vint pour rendre témoignage à celui qui était la lumière.

«Celui-là était la vraie lumière qui éclaire tout homme venant en ce monde. - Il était dans le monde, et le monde a été fait par lui, et le monde ne l'a point connu. - Il est venu chez soi, et les siens ne l'ont point reçu. - Mais il a donné à tous ceux qui l'ont reçu le pouvoir d'être faits enfants de Dieu, à ceux qui croient à son nom, qui ne sont point nés du sang, ni de la volonté de la chair, ni de la volonté de l'homme, mais de Dieu même.

«Et le Verbe a été fait chair et il a habité parmi nous ; et nous avons vu sa gloire, sa gloire telle que le Fils unique devait la recevoir du Père ; il a, dis-je, habité parmi nous, plein de grâce et de vérité.» (Jean, chap. I, v. de 1 à 14.)

Ce passage des Evangiles est le seul qui, au premier abord, paraît renfermer implicitement une idée d'identification entre Dieu et la personne de Jésus ; c'est aussi celui sur lequel s'est établie plus tard la controverse à ce sujet. Cette question de la Divinité de Jésus n'est arrivée que graduellement ; elle est née des discussions soulevées à propos des interprétations données par quelques-uns aux mots Verbe et Fils. Ce n'est qu'au IV° siècle qu'elle a été adoptée en principe par une partie de l'Eglise. Ce dogme est donc le résultat de la décision des hommes et non d'une révélation divine.

Il est d'abord à remarquer que les paroles que nous citons plus haut sont de Jean, et non de Jésus, et qu'en admettant qu'elles n'aient pas été altérées, elles n'expriment, en réalité, qu'une opinion personnelle, une induction où l'on retrouve le mysticisme habituel de son langage ; elles ne sauraient donc prévaloir contre les affirmations réitérées de Jésus lui-même.

Mais, tout en les acceptant telles qu'elles sont, elles ne tranchent nullement la question dans le sens de la divinité, car elles s'appliqueraient également à Jésus, créature de Dieu.

En effet, le Verbe est Dieu, parce que c'est la parole de Dieu. Jésus ayant reçu cette parole directement de Dieu, avec mission de la révéler aux hommes, se l'est assimilée ; la parole divine dont il était pénétré s'est incarnée en lui ; il l'a apportée en naissant, et c'est avec raison que Jésus a pu dire : Le Verbe a été fait chair, et il a habité parmi nous. Jésus peut donc être chargé de transmettre la parole de Dieu, sans être Dieu lui-même, comme un ambassadeur transmet les paroles de son souverain, sans être le souverain. Selon le dogme de la divinité, c'est Dieu qui parle ; dans l'autre hypothèse, il parle par la bouche de son envoyé, ce qui n'ôte rien à l'autorité de ses paroles.

Mais qui autorise cette supposition plutôt que l'autre ? La seule autorité compétente pour trancher la question, ce sont les propres paroles de Jésus, quand il dit : «Je n'ai point parlé de moi-même, mais celui qui m'a envoyé m'a prescrit, par son commandement, ce que je dois dire ; - ma doctrine n'est pas ma doctrine, mais la doctrine de celui qui m'a envoyé ; la parole que vous avez entendue n'est point ma parole, mais celle de mon Père qui m'a envoyé.» Il est impossible de s'exprimer avec plus de clarté et de précision.

La qualité de Messie ou envoyé qui lui est donnée dans tout le cours des Evangiles implique une position subordonnée par rapport à celui qui ordonne ; celui qui obéit ne peut être à l'égal de celui qui commande. Jean caractérise cette position secondaire, et, par conséquent, établit la dualité des personnes quand il dit : Et nous avons vu sa gloire, telle que «le Fils unique devait la recevoir du Père» ; car celui qui reçoit ne peut être égal à celui qui donne, et celui qui donne la gloire ne peut être égal à celui qui la reçoit. Si Jésus est Dieu, il possède la gloire par lui-même et ne l'attend de personne ; si Dieu et Jésus sont un seul être sous deux noms différents, il ne saurait exister entre eux ni suprématie, ni subordination ; dès lors qu'il n'y a pas parité absolue de position, c'est que ce sont deux êtres distincts.

La qualification du Messie divin n'implique pas plus l'égalité entre le mandataire et le mandant que celle d'envoyé royal entre un roi et son représentant.

Jésus était un messie divin par le double motif qu'il tenait sa mission de Dieu, et que ses perfections le mettaient en rapport direct avec Dieu.

IX
FILS DE DIEU
ET FILS DE L'HOMME.

Le titre de Fils de Dieu, loin d'impliquer l'égalité, est bien plutôt l'indice d'une soumission ; or on est soumis à quelqu'un et non à soi-même.

Pour que Jésus fût l'égal absolu de Dieu, il faudrait qu'il fût comme lui, de toute éternité, c'est-à-dire qu'il fût incréé ; or, le dogme dit que Dieu l'a engendré de toute éternité, mais qui dit engendré dit créé ; que ce soit ou non de toute éternité, ce n'en est pas moins une créature, et, comme telle, subordonnée à son Créateur ; c'est l'idée implicitement renfermée dans le mot Fils.

Jésus est-il né dans le temps ? Autrement dit : fut-il un temps, dans l'éternité passée, où il n'existait pas ? ou bien est-il co-éternel avec le Père ? Telles sont les subtilités sur lesquelles on a discuté pendant des siècles. Sur quelle autorité s'appuie la doctrine de la co-éternité passée à l'état de dogme ? Sur l'opinion des hommes qui l'ont établie. Mais ces hommes, sur quelle autorité ont-ils fondé leur opinion ? Ce n'est pas sur celle de Jésus, puisqu'il se déclare subordonné ; ce n'est pas sur celle des prophètes qui l'annoncent comme l'envoyé et le serviteur de Dieu. Dans quels documents inconnus plus authentiques que les Evangiles ont-ils trouvé cette doctrine ? Apparemment dans la conscience et la supériorité de leurs propres lumières.

Laissons donc ces vaines discussions qui ne sauraient aboutir et dont la solution même, si elle était possible, ne rendrait pas les hommes meilleurs. Disons que Jésus est Fils de Dieu comme toutes les créatures ; il l'appelle son Père, comme il nous a appris à l'appeler notre Père. Il est le Fils bien-aimé de Dieu, parce qu'étant arrivé à la perfection qui rapproche de Dieu, il possède toute sa confiance et toute son affection ; il se dit lui-même Fils unique, non qu'il soit le seul être arrivé à ce degré, mais parce que, seul, il était prédestiné à remplir cette mission sur la terre.

Si la qualification de Fils de Dieu semblait appuyer la doctrine de la divinité, il n'en était pas de même de celle de Fils de l'homme que Jésus s'est donnée dans sa mission, et qui fait le sujet de bien des commentaires.

Pour en comprendre le véritable sens, il faut remonter à la Bible où elle est donnée par lui-même au prophète Ezéchiel.

«Telle fut cette image de la gloire du Seigneur qui me fut présentée. Ayant donc vu ces choses, je tombai le visage en terre : et j'entendis une voix qui me parla, et me dit : Fils de l'homme, tenez-vous sur vos pieds et je parlerai avec vous. - Et l'Esprit m'ayant parlé de la sorte entra dans moi, et m'affermit sur mes pieds et je l'entendis qui me parlait et me disait : Fils de l'homme, je vous envoie aux enfants d'Israël, vers un peuple apostat qui s'est retiré de moi. Ils ont violé jusqu'à ce jour, eux et leurs pères, l'alliance que j'avais faite avec eux.» (Ezéchiel, chap. II, v. 1, 2, 3.)

«Fils de l'homme, voilà qu'ils vous ont préparé des chaînes ; ils vous en lieront et vous n'en sortirez point.» (Chap. III, v. 25.)

«Le Seigneur m'adressa encore sa parole, et me dit : - Et vous, Fils de l'homme, voici ce que dit le Seigneur Dieu à la terre d'Israël : la fin vient ; elle vient cette fin sur les quatre coins de cette terre.» (Chap. VII, v. 1-2.)

«Le dixième jour du dixième mois de la neuvième année, le Seigneur m'adressa la parole et me dit : - Fils de l'homme, marquez bien ce jour que le roi de Babylone a rassemblé ses troupes devant Jérusalem. (Chap. XXIV, v. 1-2.)

«Le Seigneur me dit encore ces paroles : - Fils de l'homme, je vais vous frapper d'une plaie et vous ravir ce qui est le plus agréable à vos yeux ; mais vous ne ferez point de plaintes funèbres ; vous ne pleurerez point, et des larmes ne couleront point de votre visage. - Vous soupirerez en secret et vous ne ferez point de deuil comme on le fait pour les morts ; votre couronne demeurera liée sur votre tête, et vous aurez vos souliers à vos pieds : vous ne vous couvrirez point le visage, et vous ne mangerez point les viandes qu'on donne à ceux qui sont dans le deuil. - Je parlai donc le matin au peuple et le soir ma femme mourut. Le lendemain matin, je fis ce que Dieu m'avait ordonné.» (Chap. XXIV, v. de 15 à 18.)

«Le Seigneur me parla encore et me dit : Fils de l'homme, prophétisez touchant les pasteurs d'Israël ; prophétisez et dites aux pasteurs : Voici ce que dit le Seigneur Dieu : Malheur aux pasteurs d'Israël qui se paissent eux-mêmes ; les pasteurs ne paissent-ils pas leurs troupeaux ?» (Chap. XXXIV, v. 1-2.)

«Alors je l'entendis qui me parlait, au-dedans de la maison ; et l'homme qui était proche de moi me dit : - Fils de l'homme, c'est ici le lieu de mon trône : le lieu où je poserai mes pieds, et où je demeurerai pour jamais au milieu des enfants d'Israël, et la maison d'Israël ne profanera plus mon saint nom à l'avenir, ni eux, ni leurs rois, par leurs idolâtries, par les sépulcres de leurs rois, ni par les hauts lieux.» (Chap. XLIII, v. 6-7.)

«Car Dieu ne menace point comme l'homme, et n'entre point en fureur comme le Fils de l'homme.» (Judith, chap. V, VIII, 15.)

Il est évident que la qualification de Fils de l'homme veut dire ceci : qui est né de l'homme, par opposition à ce qui est en dehors de l'humanité. La dernière citation tirée du livre de Judith ne laisse pas de doute sur la signification de ce mot, employé dans un sens très littéral. Dieu ne désigne Ezéchiel que sous ce nom, sans doute pour lui rappeler que, malgré le don de prophétie qui lui est accordé, il n'en appartient pas moins à l'humanité, et afin qu'il ne se croie pas d'une nature exceptionnelle.

Jésus se donne à lui-même cette qualification avec une persistance remarquable, car ce n'est qu'en de très rares circonstances qu'il s'est dit Fils de Dieu. Dans sa bouche, elle ne peut avoir d'autre signification que de rappeler que, lui aussi, appartient à l'humanité ; par là il s'assimile aux prophètes qui l'ont précédé et auxquels il s'est comparé en faisant allusion à sa mort, quand il dit : JERUSALEM QUI TUE LES PROPHETES ? L'insistance qu'il met à se désigner comme fils de l'homme, semble une protestation anticipée contre la qualité qu'il prévoit qu'on lui donnera plus tard, afin qu'il soit bien constaté qu'elle n'est pas sortie de sa bouche.

Il est à remarquer que, durant cette interminable polémique qui a passionné les hommes pendant une longue suite de siècles, et dure encore, qui a allumé les bûchers et fait verser des flots de sang, on a disputé sur une abstraction, la nature de Jésus, dont on a fait la pierre angulaire de l'édifice, quoiqu'il n'en ait point parlé ; et que l'on ait oublié une chose, celle que le Christ a dit être toute la loi et les prophètes : l'amour de Dieu et du prochain, et la charité dont il a fait la condition expresse du salut. On s'est appesanti sur la question d'affinité de Jésus avec Dieu, et l'on a complètement passé sous silence les vertus qu'il a recommandées et dont il a donné l'exemple.

Dieu lui-même est effacé devant l'exaltation de la personnalité du Christ. Dans le symbole de Nicée, il est dit simplement : Nous croyons en un seul Dieu, etc. ; mais comment est-il ce Dieu ? Il n'est nullement fait mention de ses attributs essentiels ; la souveraine bonté et la souveraine justice. Ces paroles eussent été la condamnation des dogmes qui consacrent sa partialité envers certaines créatures, son inexorabilité, sa jalousie, sa colère, son esprit vindicatif dont on s'autorise pour justifier les cruautés commises en son nom.

Si le symbole de Nicée, qui est devenu le fondement de la foi catholique, était selon l'esprit du Christ, pourquoi l'anathème qui le termine ? N'est-ce pas la preuve qu'il est l'oeuvre de la passion des hommes ? A quoi, d'ailleurs, a tenu son adoption ? A la pression de l'empereur Constantin qui en avait fait une question plus politique que religieuse. Sans son ordre, le Concile de Nicée n'avait pas lieu ; sans l'intimidation qu'il a exercée, il est plus que probable que l'Arianisme l'emportait. Il a donc dépendu de l'autorité souveraine d'un homme qui n'appartenait pas à l'Eglise, qui a reconnu plus tard la faute qu'il avait faite publiquement, et qui a inutilement cherché à revenir sur ses pas en conciliant les partis, que nous ne soyons ariens au lieu d'être catholiques, et que l'Arianisme ne fût aujourd'hui l'orthodoxie et le catholicisme l'hérésie.

Après dix- huit siècles de luttes et de disputes vaines pendant lesquels on a complètement mis de côté la partie la plus essentielle de l'enseignement du Christ, la seule qui pouvait assurer la paix de l'humanité, on est las de ces discussions stériles qui n'ont amené que des troubles, engendré l'incrédulité, et dont l'objet ne satisfait plus la raison.

Il y a, aujourd'hui, une tendance manifeste de l'opinion générale à revenir aux idées fondamentales de la primitive Eglise, et à la partie morale de l'enseignement du Christ, parce que c'est la seule qui puisse rendre les hommes meilleurs. Celle-là est claire, positive et ne peut donner lieu à aucune controverse. Si l'Eglise eût suivi cette voie dès le principe, elle serait aujourd'hui toute-puissante au lieu d'être sur son déclin ; elle aurait rallié l'immense majorité des hommes au lieu d'avoir été déchirée par les factions.

Quand les hommes marcheront sous ce drapeau, ils se tendront une main fraternelle, au lieu de se jeter l'anathème et la malédiction, pour des questions que la plupart du temps ils ne comprennent pas.

Cette tendance de l'opinion est le signe que le moment est venu de porter la question sur son véritable terrain.

DISCOURS PRONONCE SUR LA TOMBE D'ALLAN KARDEC PAR CAMILLE FLAMMARION

Messieurs,

En me rendant avec déférence à l'invitation sympathique des amis du penseur laborieux dont le corps terrestre gît maintenant à nos pieds, je me souviens d'une sombre journée du mois de décembre 1865. Je prononçais alors de suprêmes paroles d'adieu sur la tombe du fondateur de la Librairie académique, de l'honorable Didier, qui fut, comme éditeur, le collaborateur convaincu d'Allan Kardec dans la publication des ouvrages fondamentaux d'une doctrine qui lui était chère, et qui mourut subitement aussi, comme si le ciel eût voulu épargner à ces deux esprits intègres l'embarras philosophique de sortir de cette vie par une voie différente de la voie communément reçue. - La même réflexion s'applique à la mort de notre ancien collègue Jobard, de Bruxelles.

Aujourd'hui ma tâche est plus grande encore, car je voudrais pouvoir représenter à la pensée de ceux qui m'entendent, et à celle des millions d'hommes qui, dans le nouveau monde, se sont occupés du problème encore mystérieux des phénomènes surnommés spirites ; - je voudrais, dis-je pouvoir leur représenter l'intérêt scientifique et l'avenir philosophique de l'étude de ces phénomènes (à laquelle se sont livrés, comme nul ne l'ignore, des hommes éminents parmi nos contemporains). J'aimerais leur faire entrevoir quels horizons inconnus la pensée humaine verra s'ouvrir devant elle, à mesure qu'elle étendra sa connaissance positive des forces naturelles en action autour de nous ; leur montrer que de telles constatations sont l'antidote le plus efficace de la lèpre de l'athéisme qui semble s'attaquer particulièrement à notre époque de transition ; et témoigner enfin publiquement ici de l'éminent service que l'auteur du Livre des Esprits a rendu à la philosophie, en appelant l'attention et la discussion sur des faits qui, jusqu'alors, appartenaient au domaine morbide et funeste des superstitions religieuses.

Ce serait, en effet, un acte important d'établir ici devant cette tombe éloquente, que l'examen méthodique des phénomènes appelés à tort surnaturels, loin de renouveler l'esprit superstitieux et d'affaiblir l'énergie de la raison, éloigne, au contraire, les erreurs et les illusions de l'ignorance, et sert mieux le progrès que la négation illégitime de ceux qui ne veulent point se donner la peine de voir.

Mais ce n'est pas ici le lieu d'ouvrir une arène à la discussion irrespectueuse. Laissons seulement descendre de nos pensées, sur la face impassible de l'homme couché devant nous, des témoignages d'affection et des sentiments de regret, qui restent autour de lui dans son tombeau comme un embaumement du coeur ! Et puisque nous savons que son âme éternelle survit à cette dépouille mortelle comme elle lui a préexisté ; puisque nous savons que des liens indestructibles rattachent notre monde visible au monde invisible ; puisque cette âme existe aujourd'hui aussi bien qu'il y a trois jours, et qu'il n'est pas impossible qu'elle ne se trouve actuellement ici devant moi ; disons-lui que nous n'avons pas voulu voir s'évanouir son image corporelle et l'enfermer dans son sépulcre, sans honorer unanimement ses travaux et sa mémoire, sans payer un tribut de reconnaissance à son incarnation terrestre, si utilement et si dignement remplie.

Je retracerai d'abord dans une esquisse rapide les lignes principales de sa carrière littéraire.

Mort à l'âge de 65 ans, Allan Kardec avait consacré la première partie de sa vie à écrire des ouvrages classiques, élémentaires, destinés surtout à l'usage des instituteurs de la jeunesse. Lorsque, vers 1855, les manifestations, en apparence nouvelles, des tables tournantes, des coups frappés sans cause ostensible, des mouvements insolites des objets et des meubles, commencèrent à attirer l'attention publique et déterminèrent même chez des imaginations aventureuses une sorte de fièvre due à la nouveauté de ces expériences, Allan Kardec, étudiant à la fois le magnétisme et ses effets étranges, suivit avec la plus grande patience et une judicieuse clairvoyance les expériences et les tentatives si nombreuses faites alors à Paris. Il recueillit et mit en ordre les résultats obtenus par cette longue observation et en composa le corps de doctrine publié en 1857 dans la première édition du Livre des Esprits. Vous savez tous quel succès accueillit cet ouvrage, en France et à l'étranger.

Parvenu aujourd'hui à sa 15° édition , il a répandu dans toutes les classes ce corps de doctrine élémentaire, qui n'est point nouveau dans son essence, puisque l'école de Pythagore en Grèce et celle des druides dans notre pauvre Gaule, en enseignaient les principes, mais qui revêtait une véritable forme d'actualité par sa correspondance avec les phénomènes.

Après ce premier ouvrage, parurent successivement le Livre des Médiums ou Spiritisme expérimental ; - Qu'est-ce que le Spiritisme ? ou abrégé sous forme de questions et de réponses ; - l'Evangile selon le Spiritisme ; - Le Ciel et l'Enfer ; - La Genèse ;: - et la mort vient de le surprendre au moment où, dans son activité infatigable, il travaillait à un ouvrage sur les rapports du magnétisme et du spiritisme.

Par la Revue Spirite et la Société de Paris dont il était président, il s'était constitué, en quelque sorte, le centre où tout aboutissait, le trait d'union de tous les expérimentateurs. Il y a quelques mois, sentant sa fin prochaine, il a préparé les conditions de vitalité de ces mêmes études après sa mort, et établi le Comité central qui lui succède.

Il a soulevé des rivalités ; il a fait école sous une forme un peu personnelle ; il y a encore quelque division entre les «spiritualistes» et les «spirites». Désormais, Messieurs (tel est, du moins, le voeu des amis de la vérité), nous devons être tous réunis par une solidarité confraternelle, par les mêmes efforts vers l'élucidation du problème, par le désir général et impersonnel du vrai et du bien.

On a objecté, Messieurs, à notre digne ami auquel nous rendons aujourd'hui les derniers devoirs, on lui a objecté de n'être point ce qu'on appelle un savant, de n'avoir pas été d'abord physicien, naturaliste ou astronome, et d'avoir préféré constituer un corps de doctrine morale avant d'avoir appliqué la discussion scientifique à la réalité et à la nature des phénomènes.

Peut-être, Messieurs, est-il préférable que les choses aient ainsi commencé. Il ne faut pas toujours rejeter la valeur du sentiment. Combien de coeurs ont été consolés d'abord par cette croyance religieuse ! Combien de larmes ont été séchées ! combien de consciences ouvertes au rayon de la beauté spirituelle ! Tout le monde n'est pas heureux ici-bas. Bien des affections ont été déchirées ! Bien des âmes ont été endormies par le scepticisme ! N'est-ce donc rien que d'avoir amené au spiritualisme tant d'êtres qui flottaient dans le doute et qui n'aimaient plus la vie ni physique ni intellectuelle ?

Allan Kardec eût été homme de science, que, sans doute, il n'eût pu rendre ce premier service et répandre ainsi au loin comme une invitation à tous les coeurs. Mais il était ce que j'appellerai simplement «le bon sens incarné». Raison droite et judicieuse, il appliquait sans oubli à son oeuvre permanente les indications intimes du sens commun. Ce n'était pas là une moindre qualité, dans l'ordre de choses qui nous occupe. C'était, on peut l'affirmer, la première de toutes et la plus précieuse, sans laquelle l'oeuvre n'eût pu devenir populaire ni jeter ses immenses racines dans le monde. La plupart de ceux qui se sont livrés à ces études se sont souvenus avoir été dans leur jeunesse, ou dans certaines circonstances spéciales, témoins eux-mêmes de manifestations inexpliquées ; il est peu de familles qui n'aient observé dans leur histoire des témoignages de cet ordre. Le premier point était d'y appliquer la raison ferme du simple bon sens et de les examiner selon les principes de la méthode positive.

Comme l'organisateur de cette étude lente et difficile l'a prévu lui-même, cette complexe étude doit entrer maintenant dans sa période scientifique. Les phénomènes physiques sur lesquels on n'a pas insisté d'abord, doivent devenir l'objet de la critique expérimentale, à laquelle nous devons la gloire du progrès moderne et les merveilles de l'électricité et de la vapeur ; cette méthode doit saisir les phénomènes de l'ordre encore mystérieux auxquels nous assistons, les disséquer, les mesurer, et les définir.

Car, Messieurs, le spiritisme n'est pas une religion, mais c'est une science, science dont nous connaissons à peine l'a b c. Le temps des dogmes est fini. La nature embrasse l'univers, et Dieu lui-même, qu'on a fait jadis à l'image de l'homme, ne peut être considéré par la métaphysique moderne que comme un Esprit dans la nature. Le surnaturel n'existe pas. Les manifestations obtenues par l'intermédiaire des médiums, comme celles du magnétisme et du somnambulisme, sont de l'ordre naturel et doivent être sévèrement soumises au contrôle de l'expérience. Il n'y a plus de miracles. Nous assistons à l'aurore d'une science inconnue. Qui pourrait prévoir à quelles conséquences conduira dans le monde de la pensée l'étude positive de cette psychologie nouvelle ?

La science régit le monde désormais ; et, Messieurs, il ne sera pas étranger à ce discours funèbre de remarquer son oeuvre actuelle et les inductions nouvelles qu'elle nous découvre, précisément au point de vue de nos recherches.

A aucune époque de l'histoire, la science n'a développé devant le regard étonné de l'homme des horizons aussi grandioses. Nous savons maintenant que la Terre est un astre et que notre vie actuelle s'accomplit dans le ciel.Par l'analyse de la lumière, nous connaissons les éléments qui brûlent dans le soleil et dans les étoiles à des millions et à des trillions de lieues de notre observatoire terrestre. Par le calcul, nous possédons l'histoire du ciel et de la terre dans leur passé lointain comme dans leur avenir, qui n'existent pas pour les lois immuables. Par l'observation, nous avons pesé les terres célestes qui gravitent dans l'étendue. Le globe où nous sommes est devenu un atome stellaire volant dans l'espace au milieu des profondeurs infinies, et notre propre existence sur ce globe est devenue une fraction infinitésimale de notre vie éternelle. Mais ce qui peut à juste titre nous frapper plus vivement encore, c'est cet étonnant résultat de travaux physiques opérés en ces dernières années : que nous vivons au milieu d'un monde invisible agissant sans cesse autour de nous. Oui, Messieurs, c'est là, pour nous, une révélation immense. Contemplez, par exemple, la lumière répandue à cette heure dans l'atmosphère par ce brillant soleil, contemplez cet azur si doux de la voûte céleste, remarquez ces effluves d'air tiède qui viennent caresser nos visages, regardez ces monuments et cette terre : eh bien, malgré nos yeux grands ouverts, nous ne voyons pas ce qui se passe ici ! Sur cent rayons émanés du soleil, un tiers seulement sont accessibles à notre vue, soit directement, soit réfléchis par tous ces corps ; les deux tiers existent et agissent autour de nous, mais d'une manière invisible quoique réelle. Ils sont chauds, sans être lumineux pour nous et sont cependant beaucoup plus actifs que ceux qui nous frappent, car ce sont eux qui attirent les fleurs du côté du soleil, qui produisent toutes les actions chimiques , et ce sont eux aussi qui élèvent, sous une forme également invisible, la vapeur d'eau dans l'atmosphère pour en former les nuages, - exerçant ainsi incessamment autour de nous, d'une manière occulte et silencieuse, une force colossale, mécaniquement évaluable au travail de plusieurs milliards de chevaux !

Si les rayons calorifiques et les rayons chimiques qui agissent constamment dans la nature sont invisibles pour nous, c'est parce que les premiers ne frappent pas assez vite notre rétine, et parce que les seconds la frappent trop vite. Notre oeil ne voit les choses qu'entre deux limites, en deçà et au-delà desquelles il ne voit plus. Notre organisme terrestre peut être comparé à une harpe à deux cordes, qui sont le nerf optique et le nerf auditif. Une certaine espèce de mouvements met en vibration la première et une autre espèce de mouvements met en vibration la seconde : c'est là toute la sensation humaine, plus restreinte ici que celle de certains êtres vivants, de certains insectes, par exemple, chez lesquels ces mêmes cordes de la vue et de l'ouïe sont plus délicates. Or, il existe, en réalité, dans la nature, non pas deux, mais dix, cent, mille espèces de mouvements. La science physique nous enseigne donc que nous vivons ainsi au milieu d'un monde invisible pour nous et qu'il n'est pas impossible que des êtres (invisibles également pour nous) vivent également sur la terre, dans un ordre de sensations absolument différent du nôtre, et sans que nous puissions apprécier leur présence, à moins qu'ils ne se manifestent à nous par des faits rentrant dans notre ordre de sensations.

Devant de telles vérités, qui ne font encore que s'entrouvrir, combien la négation a priori ne paraît-elle pas absurde et sans valeur ! Quand on compare le peu que nous savons, et l'exiguïté de notre sphère de perception à la quantité de ce qui existe, on ne peut s'empêcher de conclure que nous ne savons rien et que tout nous reste à savoir. De quel droit prononcerions-nous donc le mot «impossible» devant des faits que nous constatons sans pouvoir en découvrir la cause unique ?

La science nous ouvre des vues aussi autorisées que les précédentes sur les phénomènes de la vie et de la mort et sur la force qui nous anime. Il nous suffit d'observer la circulation des existences.

Tout n'est que métamorphose. Emportés dans leur cours éternel, les atomes constitutifs de la matière passent sans cesse d'un corps à l'autre, de l'animal à la plante, de la plante à l'atmosphère, de l'atmosphère à l'homme, et notre propre corps pendant la durée entière de notre vie change incessamment de substance constitutive, comme la flamme ne brille que par des éléments sans cesse renouvelés ; et quand l'âme s'est envolée, ce même corps, tant de fois transformé déjà pendant la vie, rend définitivement à la nature toutes les molécules pour ne plus les reprendre. Au dogme inadmissible de la résurrection de la chair s'est substituée la haute doctrine de la transmigration des âmes.

Voici le soleil d'avril qui rayonne dans les cieux et nous inonde de sa première rosée calorescente. Déjà les campagnes se réveillent, déjà les premiers bourgeons s'entrouvrent, déjà le printemps fleurit, l'azur céleste sourit, et la résurrection s'opère ; et pourtant cette vie nouvelle n'est formée que par la mort et ne recouvre que des ruines ! D'où vient la sève de ces arbres qui reverdissent dans ce champ des morts ? d'où vient cette humidité qui nourrit leurs racines ? d'où viennent tous les éléments qui vont faire apparaître sous les caresses de mai les petites fleurs silencieuses et les oiseaux chanteurs ? - De la mort !... Messieurs..., de ces cadavres ensevelis dans la nuit sinistre des tombeaux !... Loi suprême de la nature, le corps n'est qu'un assemblage transitoire de particules qui ne lui appartiennent point et que l'âme a groupées suivant son propre type pour se créer des organes la mettant en relation avec notre monde physique. Et tandis que notre corps se renouvelle ainsi pièces par pièces par l'échange perpétuel des matières, tandis qu'un jour il tombe, masse inerte, pour ne plus se relever, notre esprit, être personnel, a gardé constamment son identité indestructible, a régné en souverain sur la matière dont il était revêtu, établissant ainsi par ce fait constant et universel sa personnalité indépendante, son essence spirituelle non soumise à l'empire de l'espace et du temps, sa grandeur individuelle, son immortalité.

En quoi consiste le mystère de la vie ? par quels liens l'âme est-elle rattachée à l'organisme ? par quel dénouement s'en échappe-t-elle ? sous quelle forme et en quelles conditions existe-t-elle après la mort ? quels souvenirs, quelles affections garde-t-elle ? - Ce sont là, Messieurs, autant de problèmes qui sont loin d'être résolus et dont l'ensemble constituera la science psychologique de l'avenir. Certains hommes peuvent nier l'existence même de l'âme comme celle de Dieu, affirmer que la vérité morale n'existe pas, qu'il n'y a point de lois intelligentes dans la nature, et que nous, spiritualistes, sommes les dupes d'une immense illusion. D'autres peuvent, à l'opposé, déclarer qu'ils connaissent par un privilège spécial l'essence de l'âme humaine, la forme de l'Etre suprême, l'état de la vie future, et nous traiter d'athées, parce que notre raison se refuse à leur foi. Les uns et les autres, Messieurs, n'empêcheront pas que nous soyons ici en face des plus grands problèmes, que nous ne nous intéressions à ces choses (qui sont loin de nous être étrangères), et que nous n'ayons le droit d'appliquer la méthode expérimentale de la science contemporaine à la recherche de la vérité.

C'est par l'étude positive des effets que l'on remonte à l'appréciation des causes. Dans l'ordre des études réunies sous la dénomination générique de «spiritisme», les faits existent. Mais nul ne connaît leur mode de production. Ils existent, tout aussi bien que les phénomènes électriques, lumineux, caloriques ; mais, Messieurs, nous ne connaissons ni la biologie, ni la physiologie. Qu'est-ce que le corps humain ? qu'est-ce que le cerveau ? quelle est l'action absolue de l'âme ? Nous l'ignorons. Nous ignorons également l'essence de l'électricité, l'essence de la lumière ; il est donc sage d'observer sans parti pris tous ces faits et d'essayer d'en déterminer les causes, qui sont peut-être d'espèces diverses et plus nombreuses que nous ne l'avons supposé jusqu'ici.

Que ceux dont la vue est bornée par l'orgueil ou par le préjugé ne comprennent point ces anxieux désirs de nos pensées avides de connaître ; qu'ils jettent sur ce genre d'étude le sarcasme ou l'anathème ; nous élevons plus haut nos contemplations !... Tu fus le premier, ô maître et ami ! tu fus le premier qui, dès le début de ma carrière astronomique, témoigna une vive sympathie pour mes déductions relatives à l'existence des humanités célestes ; car, prenant en main le livre de la Pluralité des mondes habités, tu le posas tout de suite à la base de l'édifice doctrinaire que tu rêvais. Bien souvent nous nous entretenions ensemble de cette vie céleste si mystérieuse ; maintenant, ô âme ! tu sais par une vision directe en quoi consiste cette vie spirituelle à laquelle nous retournerons tous, et que nous oublions pendant cette existence.

Maintenant tu es retourné à ce monde d'où nous sommes venus, et tu recueilles le fruit de tes études terrestres. Ton enveloppe dort à nos pieds, ton cerveau est éteint, tes yeux sont fermés pour ne plus s'ouvrir, ta parole ne se fera plus entendre... Nous savons que tous nous arriverons à ce même dernier sommeil, à la même inertie, à la même poussière. Mais ce n'est pas dans cette enveloppe que nous mettons notre gloire et notre espérance. Le corps tombe, l'âme reste et retourne à l'espace. Nous nous retrouverons dans un monde meilleur, et dans le ciel immense où s'exerceront nos facultés les plus puissantes, nous continuerons les études qui n'avaient sur la terre qu'un théâtre trop étroit pour les contenir.

Nous aimons mieux savoir cette vérité que de croire que tu gis tout entier dans ce cadavre et que ton âme ait été détruite par la cessation du jeu d'un organe. L'immortalité est la lumière de la vie, comme cet éclatant soleil est la lumière de la nature.

Au revoir, mon cher Allan Kardec, au revoir.